ABSOLUTE BEGS

Guitar
Songbook

BOOK TWO

WISE PUBLICATIONS
part of The Music Sales Group
London/New York/Paris/Sydney/Copenhagen/Berlin/Madrid/Tokyo

Published by
Wise Publications
8/9 Frith Street, London W1D 3JB, England.

Exclusive Distributors:
Music Sales Limited
Distribution Centre, Newmarket Road, Bury St. Edmunds,
Suffolk IP33 3YB, England.

Music Sales Pty Limited
120 Rothschild Avenue, Rosebery, NSW 2018, Australia.

Order No. AM969650
ISBN 0-7119-8770-X
This book © Copyright 2003 by Wise Publications

Arranged by Arthur Dick
Music processed by The Pitts
Editing and book layout by Sorcha Armstrong
Cover design by Chloë Alexander
Photographs by George Taylor
CD mastered by Jonas Persson

Printed in Great Britain by
Printwise (Haverhill) Limited, Haverhill, Suffolk.

Your Guarantee of Quality:
As publishers, we strive to produce every book to the
highest commercial standards. This book has been
carefully designed to minimise awkward page turns and
to make playing from it a real pleasure. Particular care
has been given to specifying acid-free, neutral-sized
paper made from pulps which have not been elemental
chlorine bleached. This pulp is from farmed sustainable
forests and was produced with special regard for the
environment. Throughout, the printing and binding have
been planned to ensure a sturdy, attractive publication
which should give years of enjoyment. If your copy fails
to meet our high standards, please inform us and we
will gladly replace it.

Got any comments?
e-mail: absolutebeginners@musicsales.co.uk

www.musicsales.com

How To Use This Book

All of the songs in this book have been arranged
in their original keys, so you can play along with the
CD using all the chords you learned in *Absolute
Beginners Guitar Book 1* and *Book 2*. If you haven't got
Absolute Beginners Guitar, don't worry – each chord has
a photo and a diagram to show you how to play it.

How To Use A Capo
In order to play in the original keys, some songs
indicate that you need to use a capo, an inexpensive
accessory which can be bought from any music shop.
For example: **capo 2nd fret**. This means that you should
put your capo on to the guitar neck at the second fret,
then play the chords as if the capo has become the nut
of the guitar.

Tuning Your Guitar
It's important to tune your guitar every time you play.
You are probably familiar with the main methods of
tuning, but if not, use our handy tuning notes on the
CD before playing along, on Track 1.

More instructions on using a capo, and tuning, can
be found in *Absolute Beginners Guitar* and *Absolute
Beginners Guitar Book Two*.

Have fun!

Contents

A Little Less Conversation

Words & Music by Billy Strange & Scott Davis

 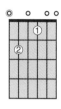    

 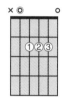  

Intro | E7 A7 | E7 A7 | E7 A7 | E7 | |

Chorus 1

E7   A7
A little less conversation,

          E7   A7
A little more action please,

E7   A7   E7   A7
All this aggravation ain't satisfactioning me.

E7   G
A little more bite and a little less bark,

A   D
A little less fight and a little more spark.

           E7   B7
Close your mouth and open up your heart,

          E7   A7
And baby satisfy me.

    E7   A7
Satisfy me baby.

Verse 1

E7   A7
Baby close your eyes and listen to the music,

E7   A7
Dig to the summer breeze.

E7   A7
It's a groovy night and I can show you how to use it,

E7   A7
Come along with me and put your mind at ease.

Chorus 2   As Chorus 1

Bridge

E7
Come on baby I'm tired of talking,

E7
Grab your coat and let's start walking,

E7
Come on, come on, (come on, come on)

G
Come on, come on. (Come on, come on)

A
Come on, come on. (Come on, come on)

B7
Don't procrastinate, don't articulate,

Girl it's getting late,

And you just sit and wait around.

Chorus 3

    E7   **A7**
A little less conversation,

        E7   **A7**
A little more action please,

E7   **A7**   **E7**   **A7**
All this aggravation ain't satisfactioning me.

   E7   **G**
A little more bite and a little less bark,

    A   **D**
A little less fight and a little more spark.

      E7   **B7**
Close your mouth and open up your heart,

      E7 **A7**
And baby satisfy me.

   E7   **A7**
Satisfy me baby.

repeat to fade

Babylon

Words & Music by David Gray

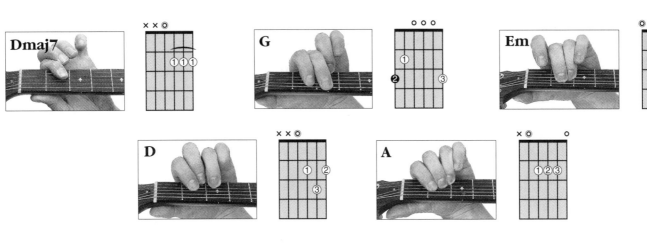

Capo first fret

Intro ‖: Dmaj7 | G | Dmaj7 | G :‖

Verse 1

Dmaj7
Friday night an' I'm going nowhere,
G   **Dmaj7**   **G**
All the lights are changing green to red.
Dmaj7
Turning over T.V. stations,
G   **Dmaj7**   **G**
Situations running through my   head.
Dmaj7
Looking back through time, you know,
   G   **Dmaj7** **G**
It's clear that I've been blind, I've been a fool
   Dmaj7   **G**
To open up my heart to all that jealousy,
                    Dmaj7   **G**   **Em**
That bitterness, that   ridicule.

Verse 2

Dmaj7
Saturday I'm running wild
     G   **Dmaj7**   **G**
An' all the lights are changin', red to green.
Dmaj7
Moving through the crowds, I'm pushin',
G   **Dmaj7**   **G**
Chemicals are rushing in my bloodstream.
      Dmaj7
Only wish that you were here,
             G   **Dmaj7**   **G**
You know I'm seein' it so clear; I've been afraid
      Dmaj7
To show you how I really feel,
     G   **Dmaj7**   **G**
Admit to some of those bad mistakes I've made.

Chorus 1

  D   **A**   **Em**   **A**
And if you want it, come an' get it, for cryin' out loud.

  D   **A**   **Em**   **G**
The love that I was givin' you was never in doubt.

  D   **A**   **Em**   **A**
Let go of your heart, let go of your head, and feel it now.

  D   **A**   **Em**   **A**
Let go of your heart, let go of your head, and feel it now.

   Dmaj7 **G**
Babylon,

   Dmaj7 **G**
Babylon,

   Dmaj7 **G**   **Dmaj7** **G**
Babylon.

Verse 3

 Dmaj7   **G**
Sunday, all the lights of London shining,

     Dmaj7 **G**
Sky is fading red to blue.

 Dmaj7
  Kickin' through the autumn leaves

   G   **Dmaj7** **G**
And wonderin' where it is you might be going to.

 Dmaj7
Turnin' back for home, you know,

   G   **Dmaj7** **G**
I'm feeling so alone, I can't believe.

 Dmaj7   **G**
Climbin' on the stair I turn around

         Dmaj7 **G**
To see you smiling there in front of me.

Chorus 2

  D   **A**   **Em**   **A**
And if you want it, come and get it, for crying out loud,

  D   **A**   **Em**   **G**
The love that I was giving you was never in doubt.

  D   **A**   **Em**   **A**
Let go of your heart, let go of your head, and feel it now.

  D   **A**   **Em**   **A**
Let go of your heart, let go of your head, and feel it now.

Chorus 3

  D   **A**   **Em**   **A**
Let go of your heart, let go of your head, and feel it now.

  D   **A**   **Em**   **A**
Let go of your heart, let go of your head, and feel it now.

   Dmaj7 **G**
Babylon,

   Dmaj7 **G**
Babylon,

   Dmaj7 **G**
Babylon,

   Dmaj7 **G**
Babylon,

   Dmaj7 **G**   **Dmaj7**
Babylon.

Blaze Of Glory

Words & Music by Jon Bon Jovi

 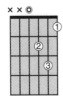   

Intro ‖: **Dm** | **Dm** | **Dm** | **Dm** :‖ *play 3 times*

Verse 1
Dm
I wake up in the morning
    C
And I raise my weary head,
      G
I've got an old coat for a pillow
    Dm
And the earth was last night's bed.
  F
I don't know where I'm going,
   C
Only God knows where I've been,
   G
I'm a devil on the run, a six-gun lover,
Dm   **D** **Dm**
A candle in the wind, yeah!

Verse 2
    Dm
When you're brought into this world
   C
They say you're born in sin,
   G
Well at least they gave me something
      Dm
I didn't have to steal or have to win.
    F
Well they tell me that I'm wanted,
   C
Yeah, I'm a wanted man,
   G
I'm a colt in your stable,

I'm what Cain was to Abel,
   Dm
Mister, catch me if you can.

Chorus 1
        G   **D**
I'm going down in a blaze of glory,
        G   **D**
Take me now but know the truth,
        G   **D**
I'm going out in a blaze of glory,
              C
Good Lord I never drew first but I drew first blood,
       G   **D**   **Dm**
I'm going son, call me Young Gun.

Verse 3
        Dm
You ask about conscience
         C
And I offer you my soul,
          G
You ask if I'll grow to be a wise man,
        Dm
Well I ask if I'll grow old.
       F
You ask me if I've known love
             C
And what it's like to sing songs in the rain,
        G
Well I've seen love come, I've seen it shot down,
        Dm
I've seen it die in vain.

Chorus 2
       G   **D**
Shot down in a blaze of glory,
       G   **D**
Take me now but know the truth,
          G   **D**
'Cause I'm going down in a blaze of glory,
        C
Lord I never drew first but I drew first blood,
       G   **D**   **Dm**
I'm the devil's son, call me Young Gun.

Guitar solo   ‖ **G** | **D** | **G** | **D** |

                 | **G** | **D** | **F** | **G**   ‖ **D** | **Dm** |

Verse 4

    Dm
Each night I go to bed
      C
I pray the Lord my soul to keep,
     G
No, I ain't looking for forgiveness
    Dm
But before I'm six feet deep,
    F
Lord, I got to ask a favour,
   C
And I hope you'll understand,
     G
'Cause I've lived life to the fullest,
    Dm
Let this boy die like a man,
G
Staring down a bullet,
   Dm   **N.C.**
Let me make my final stand.

Chorus 3

   G   **D**
Shot down in a blaze of glory,
     G   **D**
Take me now but know the truth,
    G   **D**
I'm going out in a blaze of glory,
    C
Lord I never drew first but I drew first blood,
    G
And I'm no-one's son.
         D   **C**
Call me Young Gun, oh, oh, oh,
    G   **D**
I'm a Young Gun, Young Gun,
  D **C**
Young Gun, yeah, yeah, yeah,
   G **D** **Dm**
Young Gun.

Bohemian Like You

Words & Music by Courtney Taylor-Taylor

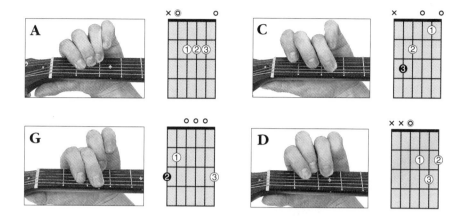

Capo 2nd fret

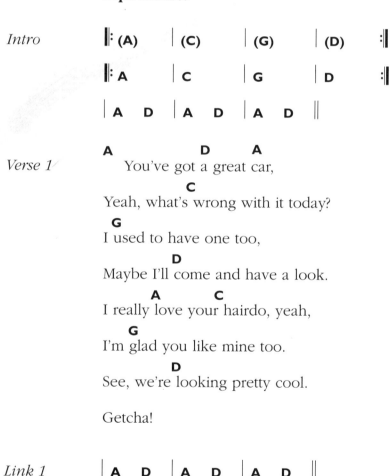

Intro

‖: (A) | (C) | (G) | (D) :‖

‖: A | C | G | D :‖

| A D | A D | A D ‖

Verse 1

    A   **D**   **A**
        You've got a great car,
             C
Yeah, what's wrong with it today?
    G
I used to have one too,
          D
Maybe I'll come and have a look.
        A   **C**
I really love your hairdo, yeah,
        G
I'm glad you like mine too.
          D
See, we're looking pretty cool.

Getcha!

Link 1

| A D | A D | A D ‖

Verse 2

    A   D   A
So what do you do?
         C
Oh yeah, I wait tables too.
      G
No, I haven't heard your band
         D
Guess you guys are pretty new.
        A   C
But if you dig on vegan food
        G
Well, come over to my work,
        D
I'll have them cook you something
         A
That you'll really love.

Chorus 1

        C   G
'Cause I like you, yeah I like you,
        D   A
And I'm feeling so bohemian like you.
        C   G
Yeah I like you, yeah I like you,
        D
And I feel wa-ho, whoo!

Link 2

‖: A | C | G | D   :‖

| A   D | A   D | A   D | A   ‖
                                       Wait!

Verse 3

N.C.   A   C
Who's that guy just hanging at your pad?
      G
He's looking kind of bummed.
        D
Yeah, you broke up? That's too bad.
        A   C
I guess it's fair if he always pays the rent
        G
And he doesn't get bent about
D   A
Sleeping on the couch when I'm there.

Chorus 2
       C   **G**
'Cause I like you, yeah I like you,
      D   **A**
And I'm feeling so bohemian like you.
      C   **G**
Yeah I like you, yeah I like you,
     D
And I feel wa-ho, whoo!

Link 3   ‖: **A** | **C** | **G** | **D** :‖

Chorus 3
        A
And I'm getting wise
       C   **G**
And I'm feeling so bohemian like you.
      D
It's you that I want
     A   **C**   **G**
So please, just a casual, casual easy thing.
 D   **A**
Is it? It is for me.
     C   **G**   **D**
And I like you, yeah I like you, and I like you, I like you,
  A   **C**   **G**
 I like you, I like you, I like you, I like you, I like you
    D
And I feel who-hoa, whoo!

Coda   ‖: **A** | **C** | **G** | **D** :‖

| **A** **D** | **A** **D** | **A** **D** | **A** **D** | **A** ‖

Bye Bye Badman

Words & Music by John Squire & Ian Brown

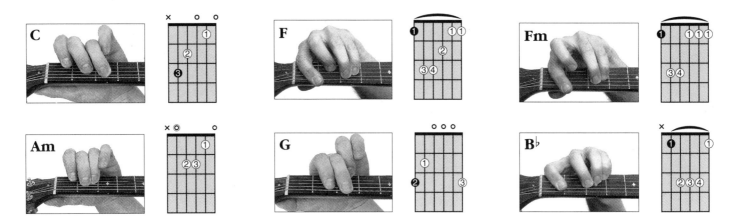

Capo 2nd fret

Intro | **C** | **C** | **C** | **C** ||

Verse 1
C
Soak me to the skin, will you drown me in your sea,
       F   **Fm** **C**
Submission ends and I   begin.
C
Choke me, smoke the air in this citrus sucking sunshine,
      F   **Fm**   **C**
I don't care, you're not all there.
F   **Fm**
Every backbone and heart you break
     C
Will still come back for more.
    F   **Fm** **C**
Submission ends it all.

Chorus 1
C   **F**   **C**   **F**
Here he comes, got no question, got no love.
C
I'm throwing stones at you man,
F
  I want you black and blue and
C
I'm gonna make you bleed,
F   **Am**
Gonna bring you down to your knees.
     Fm   **G**
Bye, bye badman,
   C
Bye bye.

Verse 2
    C
Choke me, smoke the air in this citrus sucking sunshine,
         F   **Fm**   **C**
I don't care, you're not all there.
F   **Fm**
You've been bought and paid, you're a whore and a slave,
    C
Your dock's not a holy shrine.
    F   **Fm**   **C**
Come taste the end, you're mine.

Chorus 2   As Chorus 1

                   F
Bridge 1   I've got a bad intention,
    Am   **B♭** **C**
I intend to knock you down. ——
       C   **F**
These stones I throw, oh these french kisses
    Am   **B♭** **C**
Are the only way I've found. ——

Solo | **B♭** | **F** | **Am** | **B♭** **C** ||

Bridge 2   As Bridge 1

Solo ||: **B♭** | **F** | **Am** | **B♭** **C** :|| *Repeat and fade*

Gimme Some Lovin'

Words & Music by Steve Winwood, Muff Winwood & Spencer Davis

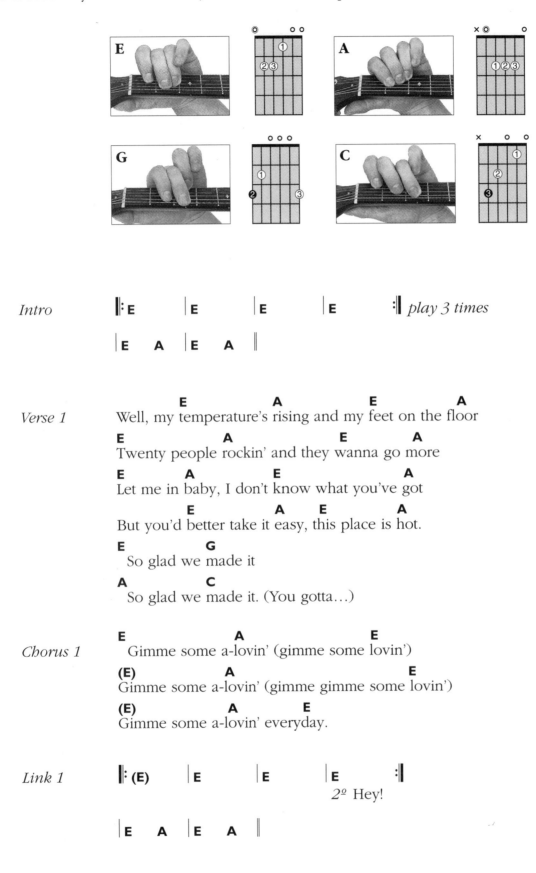

Intro   ‖: E | E | E | E :‖ *play 3 times*

| E A | E A ‖

Verse 1

       E   A   E   A
Well, my temperature's rising and my feet on the floor

E   A   E   A
Twenty people rockin' and they wanna go more

E   A   E   A
Let me in baby, I don't know what you've got

            E   A E   A
But you'd better take it easy, this place is hot.

E   G
  So glad we made it

A   C
  So glad we made it. (You gotta…)

Chorus 1

E   A   E
  Gimme some a-lovin' (gimme some lovin')

(E)   A   E
Gimme some a-lovin' (gimme gimme some lovin')

(E)   A   E
Gimme some a-lovin' everyday.

Link 1   ‖: (E) | E | E | E :‖
                                     2º Hey!

| E A | E A ‖

Verse 2

          E   A   E   A
Well I feel so good, everything is soundin' high
          E   A   E   A
You'd better take it easy 'cos the place is on fire
E   A   E   A
Been a hard day and I don't know what to do
E   A   E   A
We made it baby and it happened to you. (And I'm…)
E   G
  So glad we made it
A   C
  So glad we made it.

Chorus 2   As Chorus 1

Link 2   As Link 1

Verse 3

          E   A   E   A
Well I feel so good, everybody's gettin' high
            E   A   E   A
(You'd) better take it easy 'cos the place is on fire
E   A   E   A
Been a hard day, nothing went too good
            E   A   E   A
Now I'm gonna relax like ev'rybody should. (And I'm…)
E   G
  So glad we made it
A   C
  So glad we made it. (You gotta…)

Outro Chorus

E   A   E
Gimme some a-lovin' (gimme some lovin')
(E)   A   E
Gimme some a-lovin' (gimme gimme some lovin') :‖

repeat to fade

"Heroes"

Words by David Bowie Music by David Bowie & Brian Eno

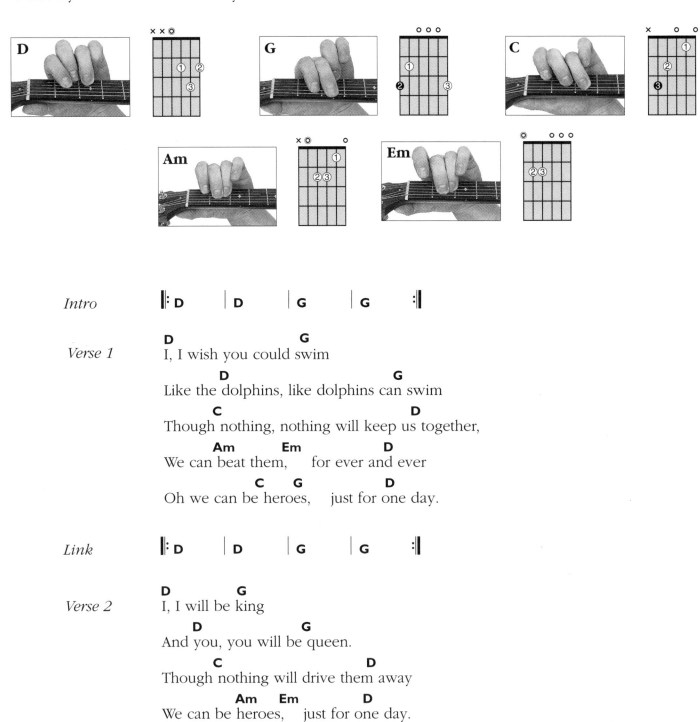

Intro

‖: **D** | **D** | **G** | **G**   :‖

Verse 1

D   **G**
I, I wish you could swim
          D   **G**
Like the dolphins, like dolphins can swim
          C   **D**
Though nothing, nothing will keep us together,
          Am   **Em**   **D**
We can beat them,   for ever and ever
                C   **G**   **D**
Oh we can be heroes,   just for one day.

Link

‖: **D** | **D** | **G** | **G**   :‖

Verse 2

D   **G**
I, I will be king
          D   **G**
And you, you will be queen.
          C   **D**
Though nothing will drive them away
          Am   **Em**   **D**
We can be heroes,   just for one day.
          C   **G**   **D**
We can be us,   just for one day.

Verse 3

    D   **G**
I, I can remember (I remember)
D   **G**
Standing by the wall (by the wall)
         D   **G**
And the guns shot above our heads (over our heads)
          D   **G**
And we kissed as though nothing could fall (nothing could fall)
        C   **D**
And the shame was on the other side.

           Am
Oh we can beat them
Em   **D**
  For ever and ever.
            C
Then we could be heroes
G   **D**
  Just for one day.

Outro

D   **G**   **D**   **G**
  We can be heroes,   we can be heroes,
D   **G**   **D**
  We can be heroes, just for one day

Fade out

Hotel California

Words & Music by Don Felder, Glenn Frey & Don Henley

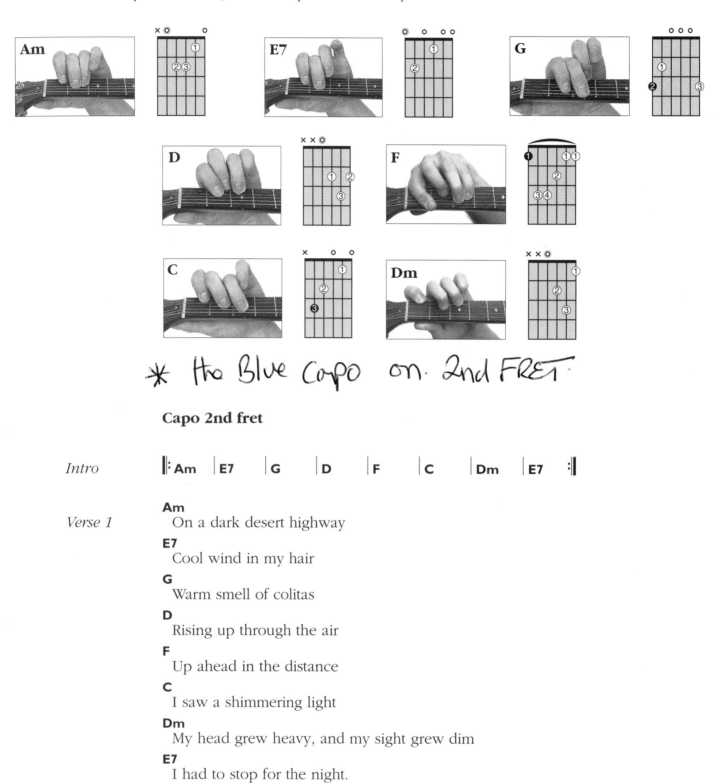

* the Blue Capo on 2nd FRET

Capo 2nd fret

Intro ‖: **Am** | **E7** | **G** | **D** | **F** | **C** | **Dm** | **E7** :‖

Verse 1

Am
On a dark desert highway
E7
Cool wind in my hair
G
Warm smell of colitas
D
Rising up through the air
F
Up ahead in the distance
C
I saw a shimmering light
Dm
My head grew heavy, and my sight grew dim
E7
I had to stop for the night.

Verse 2

   Am
   There she stood in the doorway

E7
   I heard the mission bell

G
   And I was thinking to myself

             D
This could be Heaven or this could be Hell

F
   Then she lit up a candle

C
   And she showed me the way

Dm
   There were voices down the corridor

E7
   I thought I heard them say:

Chorus 1

   F   **C**
   Welcome to the Hotel California

      E7
Such a lovely place

(Such a lovely place)

     Am
Such a lovely face

F   **C**
   Plenty of room in the Hotel California

       Dm
Any time of year

(Any time of year)

      E7
You can find it here.

Verse 3

   Am
   Her mind is Tiffany twisted

E7
   She's got the Mercedes Benz

G
   She's got a lot of pretty, pretty boys

D
   That she calls friends

F
   How they dance in the courtyard

C
   Sweet summer sweat

Dm
   Some dance to remember

E7
   Some dance to forget.

Verse 4

Am
So I called up the Captain

E7
"Please bring me more wine"

        G   **D**
He said: "We haven't had that spirit here since 1969

F   **C**
And still those voices are calling from far away

Dm
Wake you up in the middle of the night

E7
Just to hear them say:

Chorus 2

F   **C**
Welcome to the Hotel California

        E7
Such a lovely place

(Such a lovely place)

        Am
Such a lovely face

        F   **C**
They're livin' it up in the Hotel California

        Dm
What a nice surprise

(What a nice surprise)

        E7
Bring you alibis.

Verse 5

Am
Mirrors on the ceiling

E7
Pink champagne on ice

        G
And she said: "We are all just prisoners here

D
Of our own device"

F
And in the master's chambers

C
They gathered for the feast

Dm
They stab it with their steely knives

        E7
But they just can't kill the beast.

Verse 6

Am
  Last thing I remember
      E7
I was runnin for the door
G   **D**
  I had to find the passage back to the place I was before
F
  "Relax" said the night man
C
  "We are programmed to recieve
Dm
You can check out any time you like
E7
But you can never leave."

Outro solo   ‖: **Am** | **E7** | **G** | **D** |

                   | **F** | **C** | **Dm** | **E7**   :‖   *repeat to fade*

The Middle

Words & Music by James Adkins, Thomas Linton, Richard Burch & Zachary Lind

Intro | D | A | G | D |

Verse 1
D
Hey
                 A
Don't write yourself off yet
                 G
It's only in your head you feel left out or
  D
Looked down on

Just try your best
          A
Try everything you can
               G
And don't you worry what they tell
         D
Themselves when you're away.

Chorus 1
         D
It just takes some time
               A
Little girl, you're in the middle of the ride
         G
Everything, everything will be just fine
         D
Everything, everything will be all right.

Verse 2
D   **A**
Hey you know they're all the same
              G
You know you're doing better on your own
  D
So don't buy in

Live right now
   A
Just be yourself
              G
It doesn't matter if that's good enough for
  D
Someone else.

        D
Chorus 2 It just takes some time

                A
      Little girl, you're in the middle of the ride

              G
      Everything, everything will be just fine

              D
      Everything, everything will be all right.

Chorus 3 As Chorus 2

Guitar solo | **A** | **A** | **D** | **D** | **A** | **A** | **D** | **D** |

       G | **G** | **D** | **D** | **A** | **A** | **A** | **A** ‖

       (D)
Verse 3 Hey

              A
      Don't write yourself off yet

              G
      It's only in your head you feel left out or

          D
      Looked down on

      Just do your best

          A
      Do everything you can

              G   **D**
      And don't you worry what their bitter hearts are going to say.

Chorus 4 As Chorus 2

Chorus 5 As Chorus 2

Moonshadow

Words & Music by Cat Stevens

 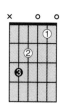 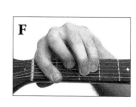  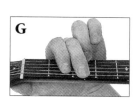 

 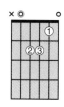  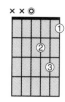 

Capo 2nd fret

Intro　　　| C 　　| C 　　| F 　G | C 　　||

Chorus 1

      C
Yes, I'm being followed by a moonshadow
F　　　　　　**G**　**C**
Moonshadow, moonshadow
  (C)
A-leapin' and hoppin' on a moonshadow
F　　　　　　**G**　**C**
Moonshadow, moonshadow.

Verse 1

    F　C　F　　　**C**
And if I ever lose my hands
F　　**C**　　**F**　　　**G**
Lose my power, lose my land
   F　C　F　　**C**
Oh, if I ever lose my hands
  Dm　**G C**　**Am Dm**　　　**G**　　**C**
Oh, ay,____ ay,____ I won't have to work no more.

Verse 2

    F　C　F　　　**C**
And if I ever lose my eyes
F　　**C**　　**F**　　**G**
If my colours all run dry
    F　C　F　　**C**
Yes, if I ever lose my eyes
  Dm　**G C**　**Am Dm**　　　**G**　　**C**
Oh, ay,____ ay,____ I won't have to cry no more.

Chorus 2　　　As Chorus 1

Verse 3
```
      F   C   F      C
And if I ever lose my legs
F        C       F     G
I won't moan and I won't beg
      F   C   F      C
Oh, if I ever lose my legs
      Dm   G C   Am  Dm      G        C
Oh, ay,____  ay,____  I won't have to walk no more.
```

```
      F   C   F      C
And if I ever lose my mouth
F        C    F        G
All my teeth North and South
      F   C   F      C
Yes, if I ever lose my mouth
      Dm   G C   Am  Dm      G        C
Oh, ay,____  ay,____  I won't have to talk…
```

Interlude ‖: C | C | F   G | C   :‖

Bridge
```
D                 G
Did it take long to find me?
D                 G
I asked the faithful light
D                 G
Did it take long to find me
      D                 G     F
And are you gonna stay the night?____
```

Chorus 3
```
C
I'm being followed by a moonshadow
F           G    C
Moonshadow, moonshadow
(C)
Leapin' and hoppin' on a moonshadow
F           G    C
Moonshadow, moonshadow
F           G    C
Moonshadow, moonshadow
F           G    C
Moonshadow, moonshadow.
```

Norwegian Wood

Words & Music by John Lennon & Paul McCartney

Capo second fret

Intro ‖: **D** | **D** | **D C G** | **D** :‖

Verse 1
D
I once had a girl,

Or should I say
C   **G D**
She once had me?
D
She showed me her room,

Isn't it good,
C   **G   D**
Nor-wegian wood?

Middle 1
       Dm   **G**
She asked me to stay and she told me to sit anywhere
       Dm   **Em7   A7**
So I looked around and I noticed there wasn't a chair.

Verse 2
D
I sat on a rug

Biding my time,
C   **G D**
Drinking her wine.
D
We talked until two

And then she said
C   **G D**
"It's time for bed."

Instrumental ‖: **D** | **D** | **D** **C** **G** | **D** :‖

Middle 2

    Dm   **G**
She told me she worked in the morning and started to laugh

    Dm   **Em7** **A7**
I told her I didn't and crawled off to sleep in the bath.

Verse 3

D
And when I awoke

I was alone,

C   **G**   **D**
This bird had   flown.

D
So I lit a fire,

Isn't it good,

C   **G**   **D**
Nor-wegian wood?

Instrumental | **D** | **D** | **D** **C** **G** | **D** ‖

Pick A Part That's New

Words by Kelly Jones. Music by Kelly Jones, Richard Jones & Stuart Cable

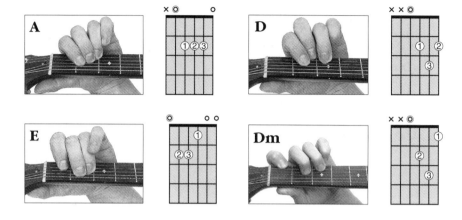

Intro | A | D | A | D |

| A | D | E | E D ||

Verse 1

   A
     I've never been here before,

              D
Didn't know where to go,

Never met you before.

   A
     I've never been to your home,

              D
That smell's not unknown,

              E
Footsteps made of stone.

                  D
Walking feels familiar.

Chorus 1

   A   D
     You can do all the things that you'll like to do,

   A   D
     All around, underground, pick a part that's new.

   A   D
     You can do all the things that you'll like to do,

   A   D   E   D
     All around, upside down, pick a part that's new.

Verse 2

    A
       People drinking on their own,

             D
Push buttons on the phone,

Was I here once before?

    A
       Is that my voice on the phone?

             D
That last drink on my own.

            E
Did I ever leave at all?

             D
Confusion's familiar.

Chorus 2   As Chorus 1

Solo   ‖: A | A | Dm | Dm   :‖

              | E | E D ‖

Chorus 3

    A   **D**
       You can do all the things that you'll like to do,

    A   **D**
       All around, underground, pick a part that's new.

    A   **D**
       You can do all the things that you'll like to do,

    A   **D**
       All around, upside down, anything that's new.

Chorus 4

    A   **D**
       You can do all the things that you'll like to do,

    A   **D**
       All around, underground, pick a part that's new.

    A   **D**
       You can do all the things that you'll like to do,

    A   **D**   **E**
       All around, upside down, pick a part that's new.

Coda

    E
So what's new to you?

So what's new to you?

             D **A**
What's new to you?

Side

Words & Music by Fran Healy

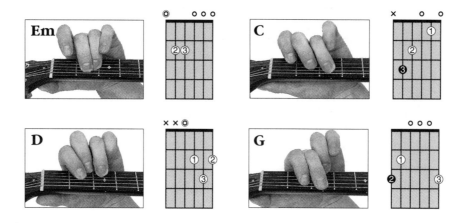

Capo third fret

Intro ‖: **Em** | **Em** | **Em** :‖

Verse 1
    Em   **C**
Well I believe there's someone watching over you,
    D   **Em**
They're watching every single thing you say.

And when you die,
                      C
They'll set you down and take you through.
    D
You'll realise one day oh _____ that

Chorus 1
    G
The grass is always greener on the other side,

The neighbours got a new car that you wanna drive,
          Em   **C**
And when time is running out you wanna stay alive.
   D
We all live under the same sky,

We all will live, we all will die.

There is no wrong,

There is no right,
                         Em
The circle only has one side.

Side, side.

Verse 2

      Em   **C**
We all try hard to live our lives in harmony,
      D   **Em**
For fear of falling swiftly overboard.
                              C
But life is both a major and a minor key,
      D
Just open up the chord, oh____ that....

Chorus 2   As Chorus 1

Interlude | **Em** | **C** | **Em** | **C** | **Em** | **C** | **D** | **D** |

Chorus 3

      G
The grass is always greener on the other side,

The neighbours got a new car that you wanna drive,
               Em   **C**
And when time is running out you wanna stay alive.
      D
We all live under the same sky,

We all will live, we all will die.

There is no wrong,

There is no right, oh _____

Chorus 4   As Chorus 1

Outro

      Em
Side, side,

Side, side.

Twist And Shout

Words & Music by Bert Russell & Phil Medley

 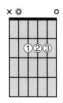  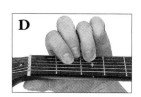 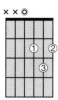

Intro ‖ D   G │ A   │ D   G │ A   ‖

Chorus 1
(A)   **D**   **G**   **A**
Well, shake it up baby now, (shake it up baby)
  D **G** **A**
Twist and shout, (twist and shout)
          D   **G**   **A**
Come on, come on, come on, come on baby, now, (come on baby)
     D **G**   **A**
Come on and work all out, (work it all out).

Verse 1
       D   **G**   **A**
Well, work it on out, honey, (work it on out)
     D   **G**   **A**
You know you look so good, (look so good)
     D   **G** **A**
You know you got me goin' now, (got me goin')
     D   **G** **A**
Just like I knew you would, (like I knew you would).

Chorus 2
(A)   **D**   **G**   **A**
Well, shake it up baby now, (shake it up baby)
  D **G** **A**
Twist and shout, (twist and shout)
           D   **G**   **A**
Come on, come on, come on, come on baby, now, (come on baby)
     D **G**   **A**
Come on and work all out, (work it all out).

Verse 2
                D **G**   **A**
You know you twist little girl, (twist little girl)
               D **G**   **A**
You know you twist so fine, (twist so fine)
               D   **G**   **A**
Come on and twist a little closer now, (twist a little closer)
                D   **G**   **A**
And let me know that you're mine, (let me know you're mine).

Solo   ‖: **D**   **G** | **A**   **G** :‖ *play 3 times*

          | **D**   **G** | **A**   ‖

(A)
Ah,——— ah,——— ah,——— ah, wow, yeah!

Chorus 3
(A)   **D**   **G**   **A**
Well, shake it up baby now, (shake it up baby)
        D   **G**   **A**
Twist and shout, (twist and shout)
                          D   **G**   **A**
Come on, come on, come on, come on baby, now, (come on baby)
          D **G**   **A**
Come on and work all out, (work it all out).

Verse 3
                D **G**   **A**
You know you twist little girl, (twist little girl)
               D **G**   **A**
You know you twist so fine, (twist so fine)
               D   **G**   **A**
Come on and twist a little closer now, (twist a little closer)
                D   **G**   **A**
And let me know that you're mine, (let me know you're mine).

Outro
                        D   **G**   **A**
Well shake it, shake it, shake it, baby now, (shake it up baby)
                        D   **G**   **A**
Well shake it, shake it, shake it, baby now, (shake it up baby)
                        D   **G**   **A**
Well shake it, shake it, shake it, baby now, (shake it up baby).
(A)   **D**
Ah,——— ah,——— ah,——— ah.   (Hey!)

White Riot

Words & Music by Joe Strummer, Mick Jones, Paul Simonon & Topper Headon

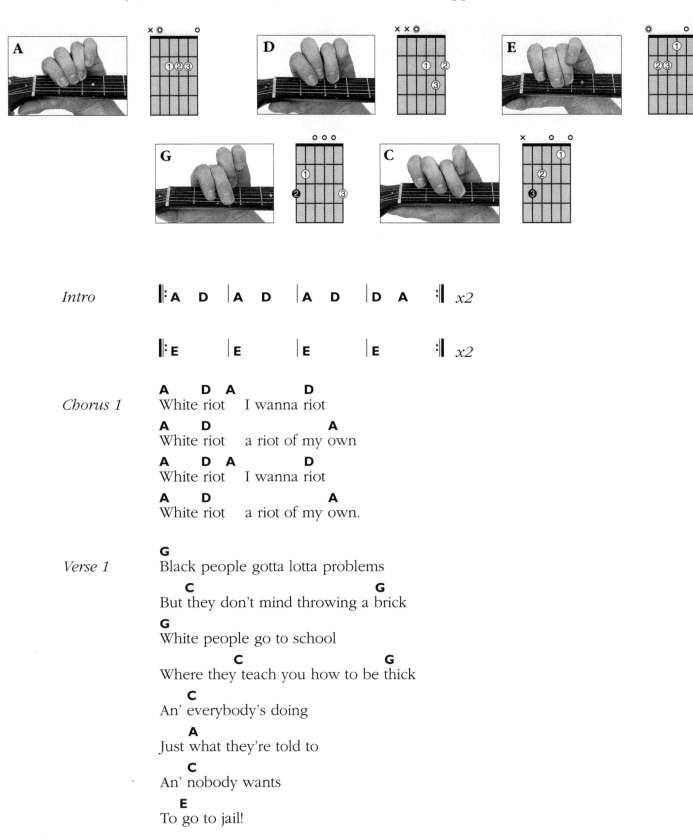

Intro   ‖: **A   D** | **A   D** | **A   D** | **D   A** :‖ *x2*

‖: **E** | **E** | **E** | **E** :‖ *x2*

Chorus 1
   A   D   A   D
   White riot   I wanna riot
   A   D   A
   White riot   a riot of my own
   A   D   A   D
   White riot   I wanna riot
   A   D   A
   White riot   a riot of my own.

Verse 1
   G
   Black people gotta lotta problems
     C   G
   But they don't mind throwing a brick
   G
   White people go to school
        C   G
   Where they teach you how to be thick
     C
   An' everybody's doing
      A
   Just what they're told to
     C
   An' nobody wants
     E
   To go to jail!

Chorus 2   As Chorus 1

Verse 2

     G
All the power's in the hands
       C   **G**
Of people rich enough to buy it
G
While we walk the street
      C   **G**
Too chicken to even try it
C
Everybody's doing
     A
Just what they're told to
C
Nobody wants
     E
To go to jail!

Instrumental | **A N.C.** | **A N.C.** | **A N.C.** | **(D) (A5)** |

           | **A   D** | **A   D** | **A   D** | **D   A** |

Chorus 3   As Chorus 1

                                         x2
           ‖: **E** | **E** | **E** | **E**   :‖

Chorus 4   As Chorus 1

Woodcutter's Son

Words & Music by Paul Weller

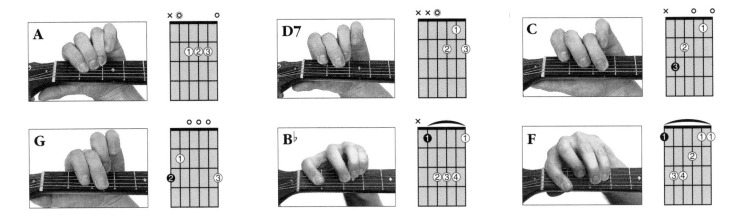

| Intro | | A | A D7 | A | A D7 | A | A D7 | A | A D7 ‖ |

Verse 1

        A
Sugartown, yeah, has turned so sour,

Its people angry in their sleep.

There's more small-town, oh, paranoia

Sweeping down its evil streets.

Chorus 1

        C
You better give me the chance,

      G
I'll cut you down with a glance,

   B♭   **F**
With my small axe, so help me.

       C
And 'though I'm only the one,

       G
And 'though I'm weak I'm strong,

   B♭   **F**   **C G**
And if it comes to the crunch then I'm the woodcutter's son,
A   **D7**   **A**
   Cutting down the wood for the good of everyone, yeah.

Verse 2

      (A)
You can tell, yeah, it's witching hour,

You can feel the spirits rise.

When the room goes very quiet

Oh, and there's hatred in their eyes.

© Copyright 1995 Stylist Music Limited/BMG Music Publishing Limited.
All Rights Reserved. International Copyright Secured.

Chorus 2

    C
Give me a chance,

      G
I'll cut you down with a glance,

     B♭   **F**
Yeah, with my small axe, so help me.

           C
And 'though I'm only the one,

          G
And 'though I'm weak I'm strong,

   B♭   **F**   **C G**
And if push comes to shove then I'm the woodcutter's son.
A
  Cutting down the wood for the good of everyone,

Cutting down the wood for the good of everyone.

Piano solo ‖ **A** | **A** | **A** | **A** | **A** | **A** ‖

Verse 3

     (A)
   There's a silence when I enter,

And a murmur, oh, when I leave.

You can see their jealous faces,

Oh, I can feel the ice they breathe.

Chorus 3

        C
You better give me a chance,

      G
I'll cut you down with a glance,

  B♭   **F**
With my small axe, so help me.

           C
And 'though I'm only the one,

         G
And 'though I'm weak I'm strong,

    B♭   **F**   **C G**
And if it comes to the crunch then I'm the woodcutter's son.

‖: **A** | **A** | **A** | **A** :‖

‖: **A**
  Cutting down the wood for the good of everyone. :‖ *Repeat to fade*

CD Track Listing

Track 1 **Tuning Notes**

Track 2 **A Little Less Conversation**
(Strange/Davis)
Carlin Music Corporation.

Track 3 **Babylon**
(Gray)
Chrysalis Music Limited.

Track 4 **Blaze Of Glory**
(Bon Jovi)
Universal Music Publishing Limited.

Track 5 **Bohemian Like You**
(Taylor-Taylor)
Chrysalis Music Limited.

Track 6 **Bye Bye Badman**
(Squire/Brown)
Zomba Music Publishers Limited.

Track 7 **Gimme Some Lovin'**
(Winwood/Winwood/Davis)
Universal/Island Music Limited/Warner/Chappell Music Limited.

Track 8 **"Heroes"**
(Bowie/Brian Eno)
RZO Music Limited/EMI Music Publishing Limited/BMG Songs Limited.

Track 9 **Hotel California**
(Felder/Frey/Henley)
Warner Chappell Music Limited.

Track 10 **The Middle**
(Adkins/Linton/Burch/Lind)
Cherry Lane Music Limited.

Track 11 **Moonshadow**
(Stevens)
Cat Music Limited.

Track 12 **Norwegian Wood**
(Lennon/McCartney)
Sony/ATV Music Publishing (UK) Limited.

Track 13 **Pick A Part That's New**
(Jones/Jones/Cable)
Universal Music Publishing Limited.

Track 14 **Side**
(Healy)
Sony/ATV Music Publishing (UK) Limited.

Track 15 **Twist And Shout**
(Russell/Medley)
Sony/ATV Music Publishing (UK) Limited.

Track 16 **White Riot**
(Strummer/Jones/Simonon/Headon)
Universal Music Publishing Limited.

Track 17 **Woodcutter's Son**
(Weller)
BMG Music Publishing Limited.